grotte aux bonbons
shérif
prison
porte du savoir
...cique
région des pluies
SNF
sables mouvants
trésor
plaine du concierge (danger: confiscation des boules puantes)
zone radioactive
D0475718

Glénat

Du même auteur :

Les filles électriques

L'enfer des concerts

Éditions Dupuis/Humour Libre

Les trucs de Titeuf :

- *Le guide du zizi sexuel*

par Zep et Hélène Bruller

Éditions Glénat

Retrouve Tchô! et Titeuf sur Internet
www.glenat.com

Tchô! La collec...
Collection dirigée par J.C. CAMANO

Dépôt légal : août 2002
Imprimé en France par Partenaires-Livres ®
en août 2002

le parc d'attractions
ALORS, LES GARÇONS, VOUS VOUS FAITES UNE PETITE VIRÉE À MÉGAFUNLAND ?
OUAIP !
TU VAS T'ÉCLATER AVEC PAPA... PAS VRAI, TITOUNET ?
ÇA...
...ON IRA À MOUNTAIN FRISSON, LE GRAND-HUIT AVEC LA TÊTE EN BAS À 250 KILOMÈTRES À L'HEURE !!
HÉ HÉ
APRÈS ON ESSAYERA FULGUROBALL ! DANS UNE NACELLE PROJETÉE À 150 MÈTRES DE HAUT EN 4 SECONDES ... PUIS, CHUTE LIBRE !
ZAAAAAA
ON RATERA PÔ DÉCHIKATOR ! LA TURBINE DE LA MORT !!! 120 TOURS À LA MINUTE, AVEC FUMIGÈNES À L'OEUF POURRI !
ÇA VA ARRACHER !
ET PUIS LE TOBOSPEED ! 200 MÈTRES DE GLISSADE AVEC VIRAGES À 90° !!
MORTEL !
ET SURTOUT, Y'A MOON RALLYE ! INTERDIT AUX SENSIBLES, AUX CARDIAQUES, AUX...
QU'EST-CE QUE T'AS, PAPA ?
CE... C'EST RIEN...
GLRP
C'EST LE PETIT DÉJEUNER QUI...
T'INQUIÈTE PÔ ! LÀ-BAS, ON SE GAVERA DE MÉGAFUN-BURGERS ...TRIPLE MAYONNAISE
GROS COMME ÇA !
BLRGG
BUS
T'ES EN RETARD
VOUS ÊTES MARRANTS ...
... IL DEVIENT DE PLUS EN PLUS CORIACE, MON PAPA.
Z.

mégajump
HÉ! TITEUF! REGARDE!!
OUAF! J'ARRIVE!
BOOING
HI! HI!
PLANQUEZ-VOUS!
MES LUNETTES!
ZBUNK
GAW
ATTENFION LES MECS!
NOOON!!
C'EST PAR LÀ, MÉGAJUMP?
OUAIS, MAIS C'EST MÉGANAZE.
PFFFFFF
Z.

fulguro ball
AAAAAAAAAAAAAAAAAAA
VENEZ TESTER FULGURO BALL !! LE PROJECTILE QUI VA VOUS COUPER LE SOUFFLE !
J'VEUX ESSAYER AVEC MON COPAIN, M'SIEUR !
HAHAAA... DEUX COURAGEUX COSMONAUTES ! BRAVO !!
AVEC VOMITO ?! T'ES DINGUE !! IL VA PAS SUPPORTER... C'EST LE GERBORAMA GARANTI !
JUSTEMENT ...
C'EST LA MEILLEURE PLACE ! C'EST CEUX QUI SONT EN BAS QUI VONT SE FAIRE DOUCHER !
LA VACHE ! C'EST VRAI !
PRÊTS ?
PRÉPAREZ VOS PARAPLUIIIII
WOOOSH
WOOAA ! ÇA DÉCHIRE !
BLEURG
LARGUEZ LA BOMBE !
ATTENTION EN BAS !! HI ! HI ! HI !
?
GAW
PLEK PLEK PLEK PLEK PLEK PLEK PLEK PLEK PLEK PLEK PLEK
AAAAA
ÇA Y EST ? LA DOUCHE EST FINIE ?
NAN ! J'Y VAIS !
Z.

Un jour à mégafun land
MOON RALLYE...
WAAAH
JUNGLE ADVENTURE...
TOBOSPEED...
MÊME PÔ MAL ...
CENTRIFUGEX...
LE GLUO MARAIS...
HA! HA! C'EST TOUT MOU ...
HI! HI! HI! DÉGUEULASSE !
BAZOOKA MASSACRE...
MANU... FAUT QU'ON RETROUVE TES LUNETTES !
OVERDANGER BUS...
RESPIRE BIEN, VOMITO ...
MISSION DEVOIRS !
C'EST L'ATTRACTION DE TROP.

les bonbons au diziak
?
J'LES AI TROUVÉS DANS LA TAB' DE CHEVET À MON PÈRE ...
C'EST QUOI ?
DES BONBONS APHRODISIAQUES !!
C'EST PAS POUR LES P'TITS !
DES BONBONS AFFREUX QUOI...?
"DONNEZ UN erotic fire À VOTRE PARTENAIRE ET VOUS VOILÀ PARTIS POUR UNE FOLLE NUIT D'AMOUR"
... C'EST ÉCRIT.
J'EN VEUX !!!
TU CROIS QUE C'EST POSSIBLE D'AVOIR PLUTÔT UNE FOLLE RÉCRÉ D'AMOUR ...? PARCE QUE LA NUIT, 'TOUTES FAÇONS, NADIA, ELLE EST PÔ AVEC MOI ...
'FAUDRAIT QUE JE DEMANDE À MON PÈRE.
HÉ NADIA !
TU VEUX UN BONBON ?!
?
NON MERCI, TITEUF ... J'AI PAS ENVIE.
M-MAIS ?
ET SI LA PARTENAIRE ELLE A PÔ FAIM ?! ON FAIT COMMENT ?!!
INSISTE ! DIS-LUI QUE C'EST AU GINGEMBRE ...
'FAUT QU'ELLE SOIT CONSENTANTE.
OUAIS BEN RESTE POLI !
NADIAAAA HÉ NADIAA !
UN P'TIT BONBON !
UN BONBON AU DIZIAK !
MÉGA-COOL !
T'ES LOURD ! J'AI DÉJÀ DIT NON !
OUI MAIS... CUI-LÀ, IL EST... IL EST... IL EST ...
.. AU GINGEMBRE.
S'TE PLAÎT
JUSTE UN BOUT !
DONNE-LE TON TRUC ! ET APRÈS, TU ME LÂ...
OUI !
CHREULAAAA
C'EST HYPER-FORT ! T'AS VOULU M'EMPOISONNER !!!
MAIS ?
ÇA MARCHE. ÇA MARCHE ...
ELLE LE VEUT.

les maths au laser
56 : 4 ... 56 : 4... J'Y COMPRENDS RIEN, MOI, À LEURS DIVISIONS POURRIES !!
RÉFLÉCHIS ! TU PENSES QUE ÇA FAIT -À PEU PRÈS- COMBIEN ?
J'SAIS PÔ, MOI... 58 ??
PLATS
ON VA ESSAYER AUTREMENT... IMAGINE QUE LES CHIFFRES SONT DES ... GROS ANIMAUX ... CHASSÉS PAR LES TERRIBLES ZGLORKS !
LES... ZGLORKS ?
ILS ONT DES SABRES-LASER... ET LORSQU'ILS ONT CAPTURÉ UN CHIFFRE, ILS LE DÉCOUPENT SANS PITIÉ EN 56 MORCEAUX !!!
TU ES FOUTU, SALE CHIFFRE !
KAÏÏÏÏÏ !
ENSUITE, ILS FONT 4 TAS ÉGAUX -CAR ILS SONT 4 CHEVALIERS ZGLORKS- ET SI TU COMPTES LES MORCEAUX DU TAS, TU AS LE RÉSULTAT DE LA DIVISION !
BEAU TRAVAIL !
ON A BIEN DIVISÉ !
MIAM !
ÇA S'PEUT MÊME PÔ !!
SI ! ÇA SE PEUT !! ET JE TE CONSEILLE DE RÉVISER PARCE QUE DEMAIN, IL Y A INTERRO' !!..
ALORS DIS-TOI QUE C'EST DES ZGLORKS !
PFFF ! J'EN ÉTAIS SÛR !! CETTE FOIS C'EST PLUS 56 MAIS 47 !! !!'''
SILENCE !
ILS SONT OÙ, LES SABRES-LASER ??
OUAIS ? BEN J'LA DIVISE, VOT' INTERRO' !!
J'SUIS UN CHEVALIER ZGLORK, MOI !!
RITCH
RITCH
RITCH
RITCH
'PIS J'FAIS DES P'TITS TAS, TSSSAM !!
SANS PITIÉ !!
ET BON AP' !!
ZÉRO ?!!
BOH... C'EST PÔ GRAVE...
... DIS-TOI QUE C'EST UN COUP DES ZGLORKS
Z.

les pouètes
ÇA... AVEC LES FILLES, C'EST LA SUPER CLASSE !
OUAIS
Nathalie je te donne ma vie
ÇA LES REND FOLLES !! TU DEVRAIS ESSAYER AVEC NADIA !
POUR ME FAIRE COLLER PAR LE CONCIERGE ET NETTOYER TOUS LES MURS DE L'ÉCOLE !?
T'ES PÔ BIEN !
MAIS NON ! CE QUI LES EXCITE, C'EST QUE TU LEUR ÉCRIVES UN POÈME...
T'AS QU'À LE FAIRE SUR UNE FEUILLE !
GÉNIAL !
... T'EN AS UNE ?
NA... DIA... JE... TE... DONNE ... MA... V... I... E...
JE SIGNE !
MAIS NON ! UN POÈME, ÇA DOIT RIMER !! "NATHALIE, JE TE DONNE MA VIE"
LÀ, ÇA VA PAS.
AAAAH BEN ZUT.
NADIA... NADIA... JE TE DONNE MA... MON... ... MON CHOCOLAT ?
NON.
... DES PÉTUNIAS ?
DU COCA ?
... DES BOUTS DE BOIS ?
ELLE A PAS UN PRÉNOM TRÈS POÉTIQUE...
"NADIA JE PENSE À TOI" !!!
ÇA VEUT RIEN DIRE QUE TU PENSES À ELLE... MOI AUSSI JE PENSE À ELLE...
AH BON ?!!
J'VAIS PENSER À TE FAIRE BOUFFER TES LUNETTES, MOI !
AH OUAIS ?
T'ES MÊME PAS CAP' DE FAIRE UN POUÈME !
T'EN VEUX UN ?!
"MANU TU PUES DU CUL" !
VOILÀ !
NADIA, SI JAMAIS TU CHANGES DE NOM, PRÉVIENS-MOI...
JE T'ÉCRIRAI UN POÈME !
Z.

Quand je serai grand je serai dessinateur
HI ! HI !
TU DESSINES QUOI ?
CRICH CRICH
C'EST LA MAÎTRESSE !
OUAF ! EXCELLENT !
WAH ! LA GUEULE !
PFFF ! C'EST LA MAÎTRESSE !
AH OUAIS, D'ACCORD
CRICH CRICH
F'EST QUOI ?
HA ! HA ! TU RECONNAIS PAS LA MAÎTRESSE ?!
IL EST TROP DOUÉ !
FAIS VOIR !
HA HA
AH VÉNIAL
CRICH
QU'EST-CE QUI SE PASSE, LÀ-BAS ?! TITEUF !! APPORTE-MOI CE PAPIER !
ALORS ?... ON PEUT SAVOIR CE QUI VOUS FAIT RIRE COMME ÇA ?
JE SUIS MORT ...
EH BIEN... IL EST JOLI, TON ARBRE, MAIS IL N'Y A PAS DE QUOI DÉRANGER TOUTE LA CLASSE !
RETOURNE À TA PLACE.
HI HI
... ELLE A BRISÉ MA CARRIÈRE.
Z.

violence
PASSE-MOI TES SMARTIES OU JE T'EXPLOSE !
J'EN AI MARRE !! J'VEUX UNE KALACHNIKOV POUR BUTER CES SALAUDS !!
TSSS
DU CALME ! LA VIOLENCE N'EST PAS UNE SOLUTION !
IL FAUT UTILISER SON INTELLIGENCE !
OUAIS, MAIS ...
LA PROCHAINE FOIS, VOUS LEUR DIREZ QUE LEUR ATTITUDE NE MÈNE NULLE PART... QUE LA BRUTALITÉ, C'EST UN SIGNE DE FAIBLESSE !
OUAIS, MAIS C'EST UN SIGNE DE FAIBLESSE QUI FOUT DES BAFFES...
...ALORS, MOI, J'AIMERAIS MIEUX UN FUSIL !!
C'EST PAS AVEC UN FUSIL QUE TU ÉLIMINERAS LA VIOLENCE ! VA FAIRE TES DEVOIRS !
PFFF... TOUJOURS PAREIL... J'PEUX RIEN DEMANDER ...
T'INQUIÈTE... MOI, J'PEUX AVOIR UNE ARME...
C'EST VRAI ?
OUAIS. JE L'AMENERAI DEMAIN. ON VA LUI FAIRE SA PEAU !
cette nuit-là...
TCHÔ !... BIEN DORMI ?
OUAIS. TU L'AS ?
... PAS DE PROBLÈME !
ALORS, LES SPERMATOZOÏDES... ON A MON CASSE-CROÛTE ?
MIAM MIAM
PASSE !
VAS-Y !! ARRACHE-LUI LA TÊTE !!
CHOMP CRUNCH MIAM
BEN QUOI ? C'EST UNE ARME !...
LAISSE TOMBER ...
... JE LE FINIRAI CETTE NUIT AU BAZOOKA !

le biceps

Z.

macho des yeux
C'ÉTAIT SAMEDI DERNIER, À L'ANNIVERSAIRE D'HUGO...
WAH! LA TRONCHE!
BEN QUOI? J'ME SUIS HABILLÉ POUR LA FÊTE!
PFFF
... SOUDAIN ...
SALUT TOUT LE MONDE!!
NADIA?!!? QU'EST-CE QUE... QUE... ??
VOUS ME TROUVEZ COMMENT?
TU PEUX PÔ TE BALADER COMME ÇA!!
AH BON?
... TOUT LE MONDE VA TE REGARDER!
PFFF... T'ES VRAIMENT UN PÔV' MACHO!
ALORS, TITEUF?... ELLE T'EXCITE LE PIQUET?
ARRÊTEZ DE LA REGARDER!!
HO LUI, HÉ! ELLE EST PAS À TOI! MACHO!
J'SUIS PÔ MATCHO! ... MANU PEUT SE METTRE EN SLIP, JE M'EN FOUS!
MOI AUSSI
J'VEUX PÔ QUE LES AUTRES LA VOIENT PRESQUE TOUTE NUE...
... TU COMPRENDS, SI APRÈS ON SE MARIE...
TU VEUX QU'ELLE SE MARIE COMME ÇA?
MAIS NON! TU COMPRENDS RIEN!!! Y'A QUE MOI QUI AI LE DROIT DE LA VOIR COMME ÇA!!
HÉ! HO! DU CALME! ... JE REGARDE OÙ JE VEUX!
'TOUTES FAÇONS, T'ES TROP NUL! T'ES PAS DU TOUT SEXY!
CHUIS PÔ SEXY, MOI!??
T'AS TOUJOURS LE MÊME LOOK... ON DIRAIT QUE TU TE CHANGES JAMAIS!
BUUÉÉRK
MAIS?
JE?
TU...?
TU VAS ALLER COMME ÇA À L'ÉCOLE??
TU PEUX PÔ COMPRENDRE...
T'ES PÔ DE LA GÉNÉRATION SEXY!

l'arrache-slip
LE SPORT PRINCIPAL À LA PISCINE, C'EST PAS LA NATATION...
C'EST D'ARRIVER À BAISSER LE SLIP DES AUTRES...
ÉVIDEMMENT...
...'FAUT ÊTRE MÉGA VIGILANT...
?
...JAMAIS RELÂCHER SON ATTENTION...
NOUS ALLONS NOUS ENTRAÎNER AU PLONGEON DE DÉPART...
?
?
...MAIS ÇA SUFFIT PÔ !
ALORS, J'AI EU UNE SUPER IDÉE...
LES BRETELLES DE MON PÉPÉ...
...RÉGLÉES AU MAXIMUM !
BONNE CHANCE, LES MECS !
HOU LE TRICHEUR !
APPELLEZ-MOI TITEUF-L'INVINCIBLE...
WAHAHAHA
GAW
ZLAK
?
...C'ÉTAIT UNE IDÉE SUPER NULLE.
ÇA VA ?

Solidarité au Caramel
AUJOURD'HUI, NOUS RÉCOLTONS LES YAOURTS DU REPAS POUR LES RESTOS DU COEUR... ALORS, PENSEZ À CEUX QUI ONT MOINS QUE VOUS ...
FÉST UNE QUEFTION DE FOLIDARITÉ.
OK OK...
Restos du ♡ merci
MMMMMMMIAM ! AU CARAMEL ...
MES PRÉFÉRÉS !
ZLAP
HÉ ! TU FAIS QUOI, LÀ ?! C'EST TRICHÉ !!
T'AS PÔ L'DROIT...
?
BEN QUOI ... J' BOUFFE MON DESSERT...
C'EST DÉGUEULASSE ! T'ES MÊME PÔ SOLIDAIRE !!
... AVEC CEUX QUI ONT MOINS DE YAOURT QUE NOUS !
EN TOUT CAS, ILS EN ONT VACHEMENT PLUS QUE MOI ! ALORS LÂCHE-MOI LE SLIP ...
T'ES UN SALAUD ! ON S'EST TOUS PRIVÉS DE CARAMEL !
BEN TIENS ! JE TE DONNE LE MIEN !
SPROTCH
J'VAIS TE SOLIDARISER LA GUEULE !
PÔV' TYPE !
VOUS DEVRIEZ AVOIR HONTE ...
... BUREAU DU DIRECTEUR !
ALLÔ ? LES RESTOS DU COEUR ?...
DITES.. ON POURRAIT PÔ ÊTRE SOLIDAIRES DES ÉPINARDS, LA PROCHAINE FOIS ?!

Chirurgie esthétique
DES FOIS, AUX TRAVAUX MANUELS, ON S'ENNUIE UN PEU...
...ALORS, ON INVENTE DES TRUCS...
TU FAIS QUOI ?
CROUIIIII
JE ME REFAIS LA TRONCHE.
?
OUAHAHA !
G
HAHAHAHAHA EXCELLENT !
OUAF !
À MOI !
TCHÔ LES MECS !
APPEULEU-MOI "CUL-DE-POULE" !
J'VAIS VOUS EN FAIRE UN MÉGATOP !
HI HI
OUGA BOUGA !
ALORS ?... ON RIGOLE, ICI, MAIS ÇA N'AVANCE PAS BEAUCOUP, MH ?
PÉT
...MAIS, J'SAIS PÔ POURQUOI, LE MONITEUR CASSE NOTRE CRÉATIVITÉ

l'automne
?
TU N'ES PAS PARTI À L'ÉCOLE, TOI ?
HÉ ! HO !
... SI Y'A QUE MOI QUI FAIT DES EFFORTS...

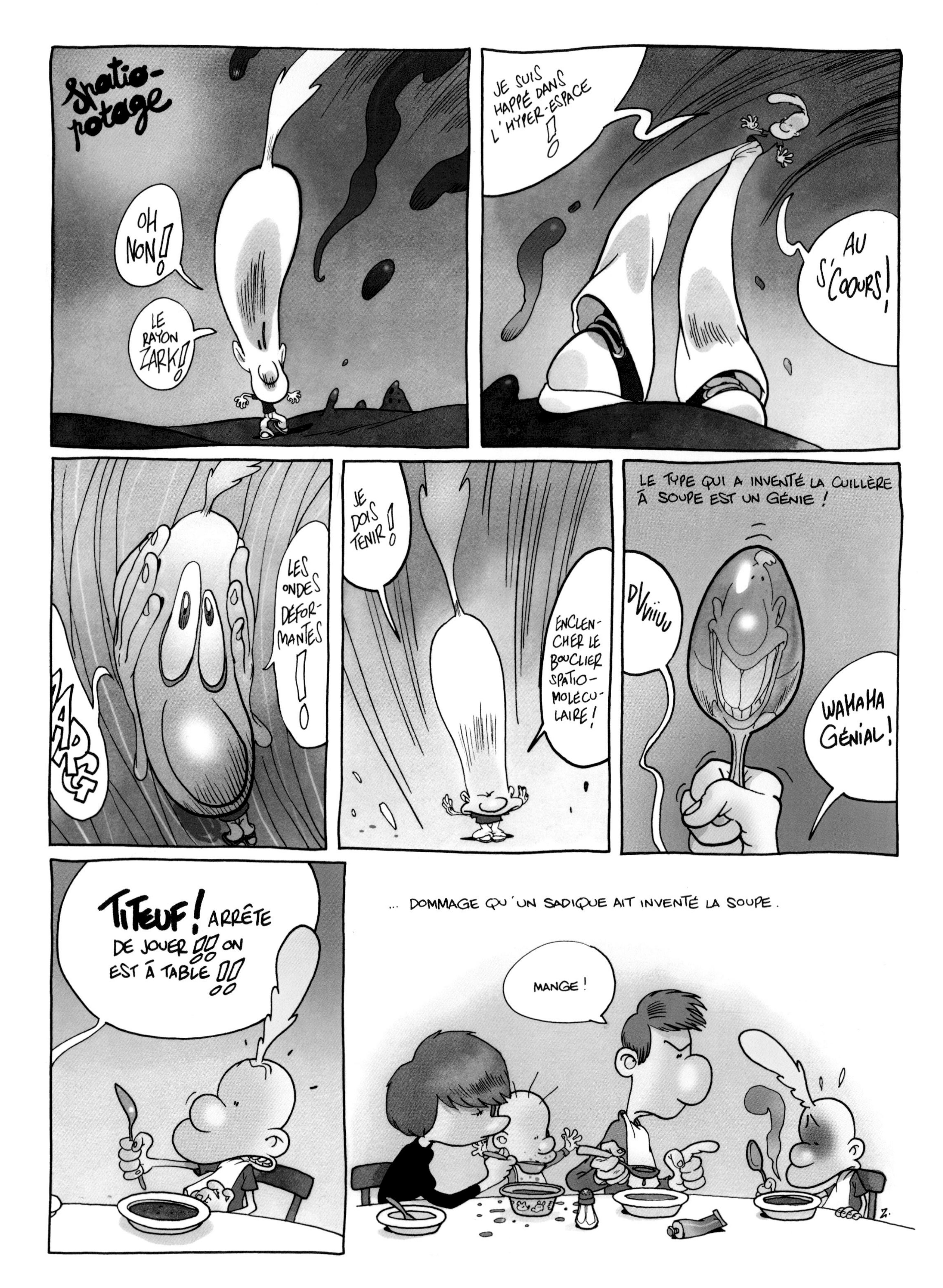
Spatio-potage
OH NON !
LE RAYON ZARK !
JE SUIS HAPPÉ DANS L'HYPER-ESPACE !
AU S'COOURS !
LES ONDES DÉFORMANTES !
JE DOIS TENIR !
ENCLENCHER LE BOUCLIER SPATIO-MOLÉCULAIRE !
LE TYPE QUI A INVENTÉ LA CUILLÈRE À SOUPE EST UN GÉNIE !
DVviiuu
WAHAHA GÉNIAL !
TITEUF ! ARRÊTE DE JOUER !! ON EST À TABLE !!
... DOMMAGE QU'UN SADIQUE AIT INVENTÉ LA SOUPE.
MANGE !

30 millions d'aspirateurs
NON TITEUF.
PAS DE RÉCRÉ POUR TOI. TU DOIS PASSER L'ASPIRATEUR POUR NETTOYER TES BÊTISES !
GRMBL... C'EST TOUJOURS MOI...
... ET PUISQUE TU DISCUTES, TU FERAS AUSSI LA CAGE DE CANELLE !
PÔ JUSTE...
PVVVVVV
VVUUUUU
BUÊÊÊK ! C'EST DÉGUEU', Y'A DES CACAS PARTOUT !
EN TOUT CAS, JE METS PÔ LES MAINS LÀ-DEDANS...
SQUIIIK
POUSSE-TOI UN PEU, CANELLE !
OPÉRATION MÉGAPROPRE !
VVVSS CHLRP
?
CANELLE ?!...
VVUUUUU
CANELLE ! CANELLE ! SORS DE LÀ !!!
OH NOOOOOON ...
CHLIKI
CHLIKI CHLIKI
CANELLE !? TU M'ENTENDS ?!
4 + 7 :
29 x 5 =
10 : 4
?
ÇA VA ALLER, MA P'TITE !
J'VAIS M'OCCUPER DE TOI !
T'EN FAIS PÔ !
TIENS... TES GRAINES !
...
ALLEZ, MANGE !
MIAM
BOUGE PÔ ! JE REVIENS...
ON EST CONVOQUÉS PAR LE PSY DE L'ÉCOLE... QU'EST-CE QUE C'EST ENCORE, CETTE HISTOIRE ?
JE TE JURE QUE J'EN SAIS RIEN !!!
Z.

le meilleur ami de l'homme
DEPUIS QUE LE PSY A DIT À MES PARENTS QUE J'AVAIS BESOIN D'UN ANIMAL DOMESTIQUE, ILS ME LÂCHENT PÔ...
...ET UN POISSON ROUGE? C'EST JOLI, UN POISSON ROUGE
MOI, J'AIMERAIS UN CHIEN.
AAH NON.
WIF WIF WIF
POURQUOI?
QUI VA LE SORTIR POUR QU'IL FASSE SES BESOINS? MH?
... EN PLUS, ÇA SACCAGE TOUT DANS L'APPARTEMENT! NON MERCI!
MAIS... SI ON LE DRESSE, IL...
C'EST NON!
- ÇA DÉTRUIT TOUT
- ÇA GUEULE PENDANT LA NUIT
- ÇA FAIT PIPI SUR LA MOQUETTE
- ÇA BAVE PARTOUT
ÇA..
ÇA...
HEU...
FLBL
BON. ALORS, QU'EST-CE QUE TU CHOISIS?
DOUCEMENT, ZIZIE...

les filles
TCHÔ NADIA ! T'AS ENCORE CHANGÉ DE LOOK ?
C'EST MON STYLE ... TU PEUX PAS COMPRENDRE.
BEN...
J'VEUX ÊTRE MOI-MÊME !
SALUT TOUT LE MONDE !
ÇA C'EST MARRANT, REGARDE : NATHALIE ELLE EST TOI-MÊME !
IL EST À MOI, CE STYLE !!
ÇA VA PAS ?!
J'L'AI TROUVÉ AVANT !
J'M'EN FICHE ! T'ENLÈVES ÇA TOUT DE SUITE !!
HÉ !
HOLÀ ! DU CALME !!
RENDS-MOI MON LOOK !
COPIEUSE
'TOUTES FAÇONS, ÇA TE VA PAS !
TOI-MÊME !
GROSSE TRUIE !
MAÎTRESSE AU S'COURS !
ÇA SUFFIT ! ON ARRÊTE !! STOP !
MH... NADIA, IL FAUT TE CHANGER ...
... JE VAIS TE PASSER QUELQUE CHOSE.
BOUH
SNRF
BEN QUOI ?... AU MOINS, LÀ, T'ES SÛRE QUE CE STYLE, PERSONNE VA TE LE PIQUER ...
TAIS-TOI ! ... OU JE T'ARRACHE LA MÈCHE !
Z.ÉLN

minet est dégueu'
C'EST SYMPA DE VENIR T'OCCUPER DE MON CHAT AVEC MOI ...
C'EST MES PARENTS... ILS VEULENT QUE JE ME FASSE UNE IDÉE...
SNF
TU LUI DONNES QUOI À MANGER ?
DU SUPERMIAM
SNF ? ÇA SENT COMME CHEZ VOMITO
APRÈS, IL FAUT NETTOYER SA LITIÈRE.
NETTOYER ÇA ??
AVEC LA PELLE, ON ENLÈVE LES CROTTES.
? J'EN VOIS PÔ
ELLES SONT CACHÉES DANS LE SABLE.
GÉNIAL ! C'EST COMME UNE PÊCHE AU TRÉSOR !!
... UNE PÊCHE, ÇA OUI !
CAPITAINE ! J'EN AI UNE !!
SUS AUX PIRATES ! FAITES TONNER LES CANONS !
BANG !
HÉ !
FLETS
MOUSSAILLON ! ATTENTION À LA VAGUE !!
ZBLARFF !
HI ! HI ! CAPITAINE-LE-BORGNE !
SPROTCH
HAHAHAHAHA ! RAZ DE MARÉE !
FROUTCH
AH, TITEUF... SI TU VEUX, MERCREDI PROCHAIN TU PEUX ALLER CHEZ LÉO POUR VOIR COMMENT IL S'OCCUPE DE SON SAINT-BERNARD ...
JE PRÉFÈRE PÔ !
Z.

la Jungle Jurassique
LE MAÎTRESSOSAURE...
LE JEAN-CLAUDOSAURE-REX...
... À LA MAFFOIRE D'AFFIER !!
LE VOMITOSAURE...
... EN PLEIN VOL...
LE TRUGOCÉRATOPS...
BOM
BOM
LE DUMBÉOPTÉRYX...
FLAP
FLAP
LE TITEUFOSAURE...
GRRRR
LA BELLE EXPLORATRICE PERDUE DANS LE TEMPS...
NE CRAINS RIEN, PETITE ! JE VAIS TE SAUVER !
GRAOOR
AAAAA
CRUNK
ENLÈVE TES PATTES, OBSÉDÉ !
MAINTENANT, JE SAIS POURQUOI LES DINOSAURES ONT DISPARU...
GNN
GNN

Peace & bouffe
T'AS PRIS QUOI ?
SANDWICH AU DENTIFRICE, ET TOI ?
HAMBURGER AUX CROQUETTES POUR CHAT... SAUPOUDRÉ DE CROTTES DE NEZ !
PÔ MAL.
TCHÔ !
MOI J'AI UNE BARRE CHOCOLATÉE ...
AH ?
... FARCIE AUX SUPPOSITOIRES CAMPHRÉS !
AAAAAAH !
... MACARONS LÉCHÉS PAR LE DOBERMAN DU VOISIN ...
... AVEC PÉPITES DE CROTTES DE LAPIN !
JEANS 38 €
TM
MÉGACLASSE !
VOTRE GOÛTER, LES MINUS !
... OU JE VOUS ÉCRASE.
BOUARGL
LA MAÎTRESSE A RAISON ...
... LA VIOLENCE NE RÉSOUT RIEN !
Z.

J'adore la pluie
TITEUF !... TU METS TES BOTTES !
LE MOINDRE TROTTOIR DEVIENT UN MARAIS...
YAHAHA !
ATTENTION AUX CROCODILES !
ON FAIT DES VAGUES...
FLATCH
FLETCH
FLETCH
DES RAZ DE MARÉE...
UNE MÉGA-VAGUE ENGLOUTIT L'ATLANTIDE ET SES HABITANTS BIZARRES... SPLASH !
PSV' NUL !
ON DEVIENT CAPITAINE...
ET NOÉ SAUVA LES ESCARGOTS DU DÉLUGE...
?
ON FAIT DES MIRACLES...
JÉSUS MARCHANT SUR L'EAU...
TSSSAMM
BIIP
VLOUSH

...À PROPOS DE MIRACLE, MAINTENANT, JE SAIS COMMENT MOÏSE A SÉPARÉ LA MER EN DEUX...
...IL ÉTAIT CHAUFFEUR DE BUS !
Z.

mortel combat
COOL ! ILS ONT LES CARTES MÉGADONJONFIGHT !
GÉNIAL ! ON VA POUVOIR FAIRE UNE PARTIE !
T'AS EU QUI ?
CRTCH
LÀ, TU VAS ÊTRE MAL... J'AI EU LE CHEVALIER À TROIS TÊTES !
FAIS TES PRIÈRES !
FLAK
HÉÉ NON ! JE TE LE PRENDS ! CAR J'AI LE SORCIER PIXELUS QUI LUI FAIT FUSIONNER SES TÊTES DANS LE GRAND BRASIER NOIR !
HI ! HI !
IL FUSIONNE RIEN DU TOUT PARCE QUE J'AI LE DRAGON-POMPIER QUI ÉTEINT LE BRASIER ET BOUFFE PIXELUS !
CROUNTCH
ZTAP
AH OUAIS ? ET LE MAGE MERLINAX, TU CROIS QU'IL VA FAIRE QUOI ? IL VA DISSOUDRE TON DRAGON DANS LES PARTICULES DU TEMPS ! VOILÀ.
RABOULE LES CARTES !
MERLINAX C'EST UN NAZE ! IL VA SE DISSOUDRE LUI-MÊME DANS L'ESTOMAC SULFURIQUE DU DRAGON !
PRSSCHKRRR
C'EST MÊME PÔ VRAI !
LA RÈGLE DIT : Merlinax gagne contre les dragons car il se métamorphose en méta-dragon et...
AH OUAIS ?!!
EH BEN MON DRAGON, IL SE TRANSFORME EN MÉTA-MACHINE À HACHER LES MÉTADRAGONS ET LEURS RÈGLES À LA CON !
TCHAKA ! TCHAKA ! TCHAKA !
CRITCH
CRITCH
CRATCH
J'VAIS TE DISSOUDRE LA TÊTE !!!
PARTICULE DE SLIP !!!
VOUS AVEZ LES CARTES BABAR ?
Z.

le ménage du slip
MA COUSINE, ELLE EST TOMBÉE ENCEINTE ...
MAIS C'EST UN ACCIDENT.
AH BON ?
... AVEC UNE VOITURE ?
MAIS NON. AVEC SON COPAIN. ... ILS ONT PAS FAIT GAFFE ET PAF ! ... UN SPERMATOZOÏDE EST PASSÉ. !
... SUR DES MILLIONS, C'EST NORMAL !
OUAIS... ENFIN... ILS AURAIENT DÛ METTRE UNE CAPOTE !
C'ÉTAIT PEUT-ÊTRE UNE VOITURE DÉCAPOTABLE ?
QU'EST-CE QUE TU RACONTES, AVEC TES VOITURES ?!!... UNE CAPOTE, C'EST UN PRÉSERVATIF !
TU LE METS SUR LE ZIZI ET LES SPERMATOZOÏDES, ILS RESTENT COINCÉS DEDANS !
TOUT LE MONDE SAIT ÇA !
AH ? EUH ... OUAIS... TOUT LE MONDE SAIT ÇA
DES MILLIONS DE SPERMATOZOÏDES !! ÇA DOIT ÊTRE ÉNORME !??
C'EST POUR ÇA QUE C'EST ÉLASTIQUE ...
ET APRÈS, HOP !... À LA POUBELLE ...
QUOI ?! MAIS ÇA FAIT DES MILLIONS DE MORTS ?!
T'AS RIEN COMPRIS... SI Y'A PAS D'OVULE, ÇA DONNERA JAMAIS D'ENFANTS !
HA HA
ÇA DÉPEND !
... SI IL Y A UN OVULE DANS LA POUBELLE ...
UN OVULE DANS LA POUBELLE !! WAHAHA !! POURQUOI PAS DANS TA POCHE !?
OU DANS TA VOITURE ?
OUAF
LE NUL !
AH ! TITEUF ! OÙ AS-TU MIS TA DEUXIÈME CHAUSSETTE ROUGE ? TU POURRAIS FAIRE ATTENTION À TES AFFAIRES... ÇA FAIT 5 FOIS QUE ...
OUAIS, BEN TOI, FAIS GAFFE OÙ TU RANGES TES OVULES !!!
PARCE QU'UNE ZIZIE, ÇA VA... MAIS UN MILLION : NON !
Z.

je déteste le bus...
BUS
c'est parce que je mesure pile la taille critique...
taille adulte
taille critique
je fais juste la hauteur d'un dessous-de-bras...
ADIEU PIERRE
aux heures de pointe, c'est plus humide que la forêt amazonienne...
en été, c'est pire ! y'en a qui ont carrément les aisselles en liberté...
j'ai tout essayé... le déo de papa sur la tête...
ROUL ROUL
les baskets compensées...
maintenant c'est décidé, dans le bus : casque obligatoire !
TCHÔ !
Z.

Papa est destroy
ZKRRRÂÂÂÂ ! JE T'ARRACHE LA TÊTE AVEC MA HACHE NUCLÉAIRE !
OUAIS... MAIS MOI, JE FRACTURE TON TIBIA AVEC MA LASER-TENAILLE !
PROTCH
ÇA SUFFIT AVEC CES DÉBILITÉS ! ALLEZ JOUER DEHORS, MAINTENANT !
CLIK
T'ES PÔ BIEN !?! J'ALLAIS DÉMEMBRER SA TROISIÈME RÉINCARNATION ET PASSER AU 12ÈME NIVEAU DE VIOLENCE !!
PFFF
TOUJOURS DE LA VIOLENCE ! AH ! ILS SONT BEAUX, VOS JEUX !!.. VOUS FERIEZ MIEUX DE PROFITER DU SOLEIL !
C'EST NUL ! Y'A RIEN À FAIRE, DEHORS ...
MOI, À VOTRE ÂGE, JE JOUAIS AUX BILLES PENDANT DES HEURES !
... SI VOUS VOULEZ, JE VOUS LES PRÊTE...
NOOON
PLUK PLUK PLUK PLUKA
QUOI 'NOOON' !?! C'EST PLUS INTELLIGENT QUE VOS MASSACRES ET VOTRE PLAYTRUC-MACHIN ULTRAVIOLENTE !
DE TOUTES FAÇONS, JE NE VEUX PLUS VOUS VOIR DEDANS ...
ALLEZ ... HOP !
OUCH
RRRRRRRROUL
ZBUNK
BLAF
TROP VIOLENT, LES BILLES AVEC TOI, PAPA !!
MÉGA KILL !
TU NOUS APPRENDRAS ?
Z.

le mégalotto de la vie

C'EST DINGUE !... QUAND ON PENSE QU'ON VIENT D'UN SPERMATOZOÏDE PARMI DES MILLIONS !
... T'IMAGINES TOUTES LES POSSIBILITÉS ??
TU VEUX DIRE QUE J'AURAIS MÊME PU ÊTRE UNE FILLE ?!!
GLP
Z.

la nouvelle voiture
PFFFFFT
ET ALORS ? TU DEMANDES PÔ PARDON ?
HEIN ?
BEN QUOI ? Y'A PÔ DE HONTE À PÉTER, PAPA !
QUOI ?
ENFIN...
BON... 'FAUT AVOUER QUE LÀ T'AS FAIT FORT ! ÇA CHLINGUE MÉGA-GRAVE !
ARRÊTE ÇA TOUT DE SUITE !
BRAVO !
DÉGOÛTANT
...PLUS DE RESPECT !
MAIS ENFIN... CE N'EST PAS MOI !!
OUAIS... C'EST ÇA...
PFOUH
ELLE EST BELLE VOTRE ÉDUCATION !
QUELLE HISTOIRE POUR UN PET, PAPA... ÇA ARRIVE À TOUT LE MONDE DE PAS POUVOIR SE RETENIR...
DÉGUEULASSE
HMFF
POUAH
IMMONDE
KLK
ÇA MARCHE, TON TRUC ! À PEINE ON ÉTAIT RENTRÉS, MON PÈRE A DÉCIDÉ QU'ON ACHETAIT UNE VOITURE !
TU VOIS, TU VOIS...
Z.

S.O.S. oiseaux
OH ! UN OISEAU ENGOURDI PAR LE FROID !!
TCHIIIP TCHIIIP
JE VAIS LE SOIGNER !
T'ES FOU ! 'FAUT PAS LE TOUCHER ! SINON SA MÈRE LE RECONNAÎTRA PLUS !
C'EST VRAI ! C'EST À CAUSE DE L'ODEUR !!
HÉ ! HO ! ÇA VA... J'L'AI PÔ RAMASSÉ AVEC LES PIEDS...
CHIP
JE LE METS BIEN AU CHAUD !
KLIK
PFFF
CHIP
REGARDE ! IL COMMENCE À REVIVRE !!
QU'EST-CE QU'IL A À CRIER COMME ÇA ?!!
CHIIIP CHIIIP CHIIIP CHIIIP
TU COMPRENDS RIEN : C'EST SA MANIÈRE DE DIRE MERCI ! JE L'AI SAUVÉ... ÇA LAISSERA POUR TOUJOURS UNE TRACE DANS SON COEUR
CHIIP CHIP CHIP
... ET SUR TA MOQUETTE ! WAHAHAHA !
CHIP
KLETS
VIIIITE ! OUVRIR LA FENÊTRE !
EN TOUT CAS, IL EST EN PLEINE FORME !
CHIP
FLETCH
FLEK
DÉGAGE, MOINEAU INGRAT !!!
CHIIP CHIIP
TU COMPRENDS RIEN... C'EST SA MANIÈRE DE TE DIRE MERCI
J'ME FERAI PÔ AVOIR DEUX FOIS !!
MA CHAMBRE, C'EST PÔ LES WATERS !!
J'AI FROID
Z.

millésime man
PAPA... TU M'ACHÈTES ACTION MAN COSMONAUTE ?
PFFF...
ACHETER ! ACHETER ! TU CROIS QUE J'AI UNE MACHINE À FABRIQUER LES BILLETS, PEUT-ÊTRE ?
BEN...
TU N'AS QU'À AVOIR UN PEU D'IMAGINATION, DES MOI, À TON ÂGE, JE FABRIQUAIS DES BONSHOMMES AVEC DES BOUCHONS ET DES CURE-DENTS...
WOH ! LA MISÈRE !
ÇA N'ÉTAIT PAS DU TOUT LA MISÈRE !! ON S'AMUSAIT BIEN ! ON LES DÉCORAIT AVEC DES FEUTRES ET C'ÉTAIT AUSSI BIEN QUE DES ACTION MAN !!
BON... BON...
PAPA ?
QUOI ENCORE ?
TU M'ACHÈTES DES BOUCHONS ?
IL Y EN A DANS LA CUISINE, DES BOUCHONS ! DÉBROUILLE-TOI UN PEU !
ÇA VA, ÇA VA...
ALORS ?
ÇA AVANCE...
... J'EN AI DÉJÀ CINQ.
AAAAA
GLU GLU GLU GLU
MES BORDEAUX !!
J'AI REÇU ACTION MAN COSMONAUTE À 200 BALLES !
C'EST NUL. MOI J'AI BOUCHON MAN... ... À 500 BALLES !
Z.

noël
SUPER SOLDES
WAAAAA LE PÈRE NOËL !
T'ES NUL. C'EST UN FAUX.
C'EST DES TYPES QUI SONT PAYÉS POUR SE DÉGUISER EN PÈRE NOËL !
QUOI ?
C'EST DES CONNERIES !
C'EST PÔ DES CONNERIES ! MÊME QUE C'EST SOUVENT DES ALCOOLIQUES POUR QU'ILS AIENT LE NEZ BIEN ROUGE !
AH OUAIS ?
Y'A QU'À VOIR !
SUPER SOLDES
HÉ M'SIEUR ! VOUS ÊTES LE PÈRE NOËL ?
?
... OU VOUS ÊTES UN ALCOOLIQUE ?
BON... LAISSEZ-MOI BOSSER, LES ENFANTS ! HOP ! DÉGAGEZ !
TU VOIS, JE T'AVAIS DIT... C'EST UN FAUX !
PAS DU TOUT ! IL DOIT BOSSER, C'EST TOUT !
AH OUAIS ? BEN SI IL BOSSE COMME ÇA, ÇA M'ÉTONNE PÔ QUE J'AIE JAMAIS REÇU LA PLAYSTATION QUE J'LUI AVAIS COMMANDÉE !
DIX BALLES QUE C'EST LE VRAI !
VINGT !
BIEN SÛR QUE JE SUIS LE PÈRE NOËL... ET VOICI VOS CADEAUX !
... DES BONS DE 50% DE RÉDUCTION SUR L'ACHAT D'UNE DINDE !!
J'Y CROIS PÔ ! LE CADEAU MÉGAPOURRI !
C'EST TA FAUTE ! TU L'AS TRAITÉ D'ALCOOLIQUE !
... ET TU ME DOIS VINGT BALLES !!
QUELLE ARNAQUE...
C'EST NOËL...
... ET J'AI LES BOULES !
Z.

Ramon, il me tue
RAMON EST NUL EN DICTÉE...
"lorsque je me levai ce matin-là, VIRGULE..."
...IL ÉCRIT TOUT EN PHONÉTIQUE...
"... le soleil brillait dans le ciel. POINT."
Lorsk jemeleuvé sematinla, le soley briyé
... C'EST VRAIMENT TROP MARRANT !
"DEN LE SIELLE"... EXCELLENT !
ÇA RIGOLO ?
?
BON. JE SUIS SYMPA, JE L'AIDE UN PEU...
"J'avançai dans le vestibule..."
NON ! PAS "FESSE TYBUL"... VESTIBULE !
V... E... S... T... I...
MAIS Y'A TROP DE BOULOT !
"JEAN-PHIL MÉ VAITMON" ?!?... NON... ATTENDS...
C'EST PAS LUI ?
BON. RECOPIE MA FEUILLE, ÇA IRA PLUS VITE !
JE RAMASSE LES COPIES... C'EST TERMINÉ !
MARCI TITEUF ! T'ES SUPER COOL !
BOH... C'EST RIEN...
... ATTENDS DE VOIR LES NOTES !
ZÉRO ?!!
MAIS ?! C'EST PÔ MA FEUILLE !?!
18 ! J'AI MIS MON NOM SUR TA FEUILLE... ÇA ALLAIT PLUS VITE.
T'AS VU ? J'A ÉCRIT JUSTE "T... I... T... E... U... F"
... J'A FAIT DES PROGRÈS !
... IL ME TUE...
Z.

papa est un voleur

mercredi après-midi
C'EST NUL, CE COSTUME... ON A L'AIR D'ÊTRE EN PYJAMA !
ÇA S'APPELLE UN KIMONO... TU VAS VOIR, ON VA SE MARRER !
TOUT D'ABORD, SACHEZ QUE LE JUDO, AVANT D'ÊTRE UN SPORT DE COMBAT, EST UNE ÉCOLE DE DISCIPLINE ET DE MAÎTRISE DE SOI.
QUOI ?! C'EST PÂS POUR CASSER LA GUEULE AUX AUTRES ?
PCHT
NUL !
POUR COMMENCER, SALUEZ VOTRE ADVERSAIRE COMME JE VOUS L'AI APPRIS.
BUNK
AÏEU !! FAIS GAFFE !! T'ES VRAIMENT LA CEINTURE NOIRE DES DÉBILES !!
ON SE CALME.
N'OUBLIEZ PAS : MAÎTRISE DE SOI !
... ET MAINTENANT UN PETIT ÉCHAUFFEMENT PAR DEUX.
TRAVAILLEZ VOTRE SOUPLESSE...
ZBAM
VOS AMORTISSEMENTS ...
REZBAM
NE LÂCHEZ PAS PRISE ...
SPRÖTCH
ET SALUEZ ...
OUILLE
ALORS ?
... ALORS JE VAIS VOIR SI IL RESTE DE LA PLACE POUR LE COURS DE DANSE.
Z.

le cours de danse

Captain mégakill
CAPTAIN MÉGAKILL, C'EST NOTRE MASCOTTE...
VOUSHHH
Y'A PAS PLUS FORT QUE LUI...
ATTENFION BOUCLIER TEMPFOREL !!
IL S'EN FOUT, IL LE PIXELISE !
PIIIP PIIIP
BALÈZE !
ALORS, LES GARÇONS... ON JOUE À LA POUPÉE ?
HIN HIN
F'EST PAS UNE PFOUPFÉE !
LAISSE TOMBER, C'EST DES FILLES...
DRiiiiiiiiiiiiiiNNNNNdang
VOUSHHHHH RETOUR EN CLASSE !
PFFF... F'EST LE COURS D'ÉDUCAFION FECFUELLE...
OH NOOON
AUJOURD'HUI, LES ENFANTS, NOUS ALLONS PARLER DES DIFFÉRENCES ENTRE LES FILLES ET LES GARÇONS.
PFFF
VOYONS... JEUNE HOMME, TU ME PRÊTES TA POUPÉE ?
C'EST PÔ UNE POUPÉE !!
ON VOIT QU'ELLE N'A PAS DE ZIZI... ELLE A PLUTÔT UNE SORTE DE FENTE, ON APPELLE ÇA LE... LE...
LE VAGIN !
PÔ DU TOUT ! C'EST SON TURBOPROPULSEUR !
BRAVO !... PAR CE VAGIN, ELLE RECEVRA LA PETITE GRAINE DU MONSIEUR, QUI VIENDRA FÉCONDER L'O... L'O... ?
L'OVULE !
...ON VOIT BIEN QU'ELLE A LE BASSIN PLUS LARGE POUR LAISSER PASSER LE BÉBÉ.
... QUI AURAIT CRU ÇA ?? CAPTAIN MÉGAKILL, C'ÉTAIT UNE FILLE !
LE TRAITRE !
À QUI FE FIER ?
Z.

au secours!
CLAK
POIL À GRATTER
TOUTANKHITEUF
INES
ALORS ?... COMMENT TE SENS-TU DANS TES VÊTEMENTS ?
EN TOUT CAS, IL SERA SUPERBE POUR LA COMMUNION DE SA COUSINE !

menu-surprise
QUAND JE M'ENNUIE AU RESTO...
BLA BLA
BLA BLA
BLA
...J'AI UN TRUC INFAILLIBLE POUR RIGOLER : JE FAIS DES PETITES BOULETTES DE MIE DE PAIN...
...JE LES CATAPULTE AVEC MA CUILLÈRE...
PTOING
...ET JE BOMBARDE LES AUTRES TABLES.
?
JE SUIS LE ROI DE LA MIE-TRAILLETTE !
BANZAÏ !!
ZIAP
...SI JE TOUCHE UN OEIL, ÇA FAIT 5 POINTS EN PLUS...
PFFFRRRTTT
PING
...TROP MORTEL !
ATTENTION... CHAUD !
ZBLARFF
...MAIS BON, J'AI L'IMPRESSION QUE JE SUIS PÔ PRÈS DE RETOURNER AU RESTO !

le zoo
ON VOIT DES ANIMAUX PÔ CROYABLES !
WOH! LA TRONCHE!
..., DES SAUVAGES...
LUI, IL T'ARRACHE LA TÊTE D'UN COUP DE GRIFFE !
WOAAR
... WAH ÇA C'EST SAUVAGE !
DES RIGOLOS...
SQUIIK
SQUIIK
HÉ MANU!! C'EST TA FAMILLE !
HA. HA. HYPER DRÔLE.
DES QUI-FONT-PEUR...
GLP
DES POILUS...
ON DIRAIT LA MÈRE À RAMON !
DES MÉGAMOCHES...
WAHAHA ! JE PARIE QUE LE PROCHAIN EST ENCORE PIRE !
WAF ! L'HORREUR !
NON MAIS OÙ EST-CE QUE VOUS ÉTIEZ PASSÉS ? LE BUS NOUS ATTEND DEPUIS UNE HEURE !!
...ET DES SUPERDANGEREUX !
... UNE PUNITION DONT VOUS VOUS SOUVIENDREZ !!

pauline
SALUT TITEUF!
PAULINE? JE CROYAIS QUE T'ÉTAIS EN VOYAGE...
NON, JE... OUPS
OUAK!! C'EST COURT, DIS DONC!!
C'EST QUI, TON COIFFEUR?!
C'EST PAS LE COIFFEUR.
MERCI.
J'AI EU UNE LEUCÉMIE ...C'EST UNE SORTE DE CANCER.
UN CANCER DES CHEVEUX ?
NON, C'EST UN CANCER QUI DÉTRUIT LES GLOBULES DU SANG.
LA VAAACHE!
ON PREND DES MÉDICAMENTS CHIMIQUES, C'EST ÇA QUI FAIT TOMBER LES CHEVEUX...
... ET PUIS ON SE SOIGNE AUSSI AVEC DES RAYONS.
... DES RAYONS DE MIEL !!?
NON. DES RAYONS LASER
TEBO expo
WAAH!.. ET TES CHEVEUX, ILS VONT REPOUSSER?
BEN OUAIS, J'ESPÈRE...
HÉ, TITEUF!! TA COPINE, C'EST MISS-BOULE-DE-BILLARD?!
WAHAHAHA TITEUF ET CRÂNE D'OEUF!
PFFFT
ELLE S'APPELLE PAULINE! ET TU FERAS MOINS LE RIGOLO QUAND T'AURAS UNE LEUCÉMIE DES GLOBULES ET QU'ON TE BRÛLERA LES POILS DU ZIZI AVEC DES LASERS CHIMIQUES!!!
? ?
MERCI TITEUF... T'ES HYPER CHOU
SMOZ
À PLUS TARD...
HEU...
PAULINE?
QUOI?
... ÇA TE VA PÔ MAL, LES CHEVEUX COURTS
Z.

poésie de printemps
PFFF
KLIK
2€ le kilo
OBSERVEZ BIEN LA NATURE QUI S'ÉVEILLE...
BEN... QUAND ELLE S'ÉVEILLE... ELLE GUEULE !

le jeu du bijou
... C'EST UN JEU DÉBILE ... ON TIRE AU SORT UN GARÇON ...
TITEUF...
... UNE PARTIE DU CORPS ...
... EMBRASSE SUR L'OEIL ...
HI HI
HI HI
ÊÊÊÊÊÊ
... ET UNE FILLE ...
... NOÉMIE.
C'EST DÉGUEU'
BÊÊÊÊ
SMK
HI HI HI
ET ÇA CONTINUE ...
ALORS? ÇA FAIT QUOI?
PFFFF... RIEN DU TOUT.
MANU... EMBRASSE SUR LA... BOUCHE ...
GLP
LA BOUCHE!
HI HI
... DUMBO!
WAAAAAAAAAAAAAAAAA
NAN... MAIS LÀ, JE DOIS RENTRER...
C'EST LE JEU!
BON... PUISQUE C'EST LE JEU ...
LES AMOUREUX! LES AMOUREUX! LES...
HI
HI HI
HI
ÇAVA, VIEUX?
ÇA... ÇA FAIT... R.. RIEN DU TOUT...
VOUS VOUS INSCRIVEZ AU PROCHAIN TOUR ?
NON!
Y'AURA NADIA
HMMM... BON. JE VAIS RÉFLÉCHI
OK! INSCRITS!
NON, JE NE JOUE PAS. MOI, JE N'EMBRASSERAI QUE MON AMOUREUX.
ÔÔÔÔÔÔÔÔÔÔÔÔÔÔÔÔ
C'EST QUOI, CE TRUC ?! T'AVAIS DIT QU'ELLE JOUERAIT !
BEN OUAIS, MAIS...
ELLE EST NULLE, SON EXCUSE !
... EN PLUS, ÇA FAIT RIEN DU TOUT.
PUISQUE C'EST POURRI, ON SE CASSE !
MAUVAIS JOUEURS !
C'EST ÇA: TCHAO !
'SON AMOUREUX'... ET PIS QUOI, ENCORE ?!...
TRICHEURS !!
?
?
Z.

le spectacle de fin d'année

... HEUREUSEMENT, JE SUIS TRÈS BON EN GRANDS-PARENTS.

mon pôv'cousin
ELLE EST FROIDE, HEIN ?
OUAIS... ON SORT AVANT D'ÊTRE BLEUS !
CLAC CLAC
CLAC CLAC
HÉÉÉ ! MON ZIZI EST TOUT RÉTRÉCI !
BEN OUI... C'EST À CAUSE DU FROID.
SI TU RESTES TROP LONGTEMPS DANS L'EAU GLACÉE, IL RENTRE À L'INTÉRIEUR !
OUAK ! ÇA DOIT FAIRE HYPER MAL !
T'IMAGINES ? T'AS UN ZIZI DANS LE BIDE !! ÇA S'APPELLE "AVOIR L'APPENDICITE", JE CROIS...
HÉ ! MON COUSIN VIENT D'AVOIR ÇA !!
MÊME QU'ON L'A OPÉRÉ POUR LUI COUPER L'APPENDICITE
GLPS ! ILS LUI ONT COUPÉ LE ZIZI ?!
LA VACHE !
BEN OUAIS, MAIS AUTREMENT IL SE FERAIT PIPI DANS LE VENTRE !
AH C'EST SÛR... C'ÉTAIT OBLIGÉ !
ALORS, TON COUSIN, IL EST CASTRÉ ?
BEN... JE PENSE QUE OUI...
LE CHIEN DE MA TANTE AUSSI... DEPUIS, IL MORD TOUT LE MONDE !
AH BON ?
C'EST NORMAL, ÇA MODIFIE LE COMPORTEMENT.
EH BIEN, TITEUF... TU NE FAIS PAS UNE BISE À TON COUSIN ?
JE... JE PRÉFÈRE PÔ...
...J'AI PEUR QU'IL MORDE !

laissez-nous rêver
KILLER
♡ titeuf
JE RÉPÈTE MA QUESTION : ES-TU PLUTÔT INTÉRESSÉ PAR UNE CARRIÈRE
ⓐ dans l'informatique ?
ⓑ dans la mécanique
?
métiers d'avenir
ZEP mai 2002

Chaque mois, retrouve
titeuf
et sa bande dans
tchô!
FILE-MOI TON TCHÔ !
JE PARIE QUE TU SAIS PÔ QU'ON PEUT S'ABONNER ...

tchô! le magazine qui fait la loi dans les préaux

N
O
E
S
KRK
Jungle sauvage
le maro
zone
de tir
arbre aux filles
royaume
du grand diego
territoi
des petit
mine de
chewing gum (500 m.)